Madame
Poipoi

Monsieur
Henri

Gino
Marto

Rémi
Lepoivre

Adrien
Dubouchon

Mélani
Lano

Tom-Tom et Nana

Bande de sauvages!

Scénario: Jacqueline Cohen. Dessins : Bernadette Després.
Couleurs : Catherine Legrand.

A LA BONNE FOURCHETTE

Marie-Lou
Dubouchon

Yvonne
Dubouchon

Nana
Dubouchon

Tom-Tom
Dubouchon

Huitième édition

© Bayard Presse (J'aime lire). 1987
© Bayard Editions / J'aime lire, 1990
ISBN : 2.227.73109.5
Dépôt légal : 2ème trimestre 1987
Imprimé en France par Aubin imprimeur Ligugé, Poitiers

Le centre aéré

Non, non **et non !**
C'est **plus possible !**

Vous êtes toujours dans nos jambes, rien qu'à faire des bêtises !

On a du travail, nous !

Oui, mais nous, on est en vacances !

Dire qu'ils pourraient être en ce moment chez tante Roberte !

Oui, mais... ils n'ont pas voulu y aller !

Et si on les mettait au centre aéré ?

quoi ?

Ooo

8

Non, on n'ira pas ! On reste ici !

Comment faire pour leur enlever cette idée de la cervelle ?

On n'a qu'à rester sages comme des pierres !
Oui, on serait des statues !

Non, encore mieux : on serait les deux invisibles !

?

Oh ! Qu'est-ce que vous faites-là, les enfants ?

C'est terrible pour ces pauvres gosses d'être en vacances... ...quand les parents travaillent !

?

415-6

11

Scénario J. Cohen et E. Reberg

Des lunettes pour tous

19

Je crois qu'ils ont besoin de lunettes!

Oui!...

Parfaitement! Aaaah? On va voir ça...

Asseyez-vous là, mes cocos!

Vous allez lire les lettres!

C'est moi qui commence!

CARRÉ

ZU NFI ERS NOD

PFFFOU! Elle sait même pas lire!

Mais bien sûr que je sais lire!

Tu parles, t'es juste au cours préparatoire!

Scénario J. Cohen et E. Reberg

Le miroir magique

Tom-Tom et Nana : bande de sauvages!

Ferme les yeux, et ne bouge surtout pas...

... Je t'ai mis une pièce d'or sur le front!

PFFFF!

Reine du passé, reine du futur, donne à cette enfant, la splendeur et la beauté éternelle!

Abroucadix, abroucadax! Ornytorinax! Ajax! Subitus motus crocus... Ratatinous tampax!

Tu t'es trompé! Tu as dit "crocus", et il fallait dire "cactus"!

Oh, misère de moi!

?

(118.4)

28

31

Scénario J. Cohen et E. Reberg

Jamais deux sans trois

40

42

Scénario J. Cohen et E. Reberg

Pour l'amour de Sophie

48

...TAGADA...TAGADA...TAGADA...

PAFFF!

Imbécile! Tu as oublié de ralentir!

Ne t'inquiète pas, elles n'ont rien vu!

Hi! Hi! Hi!

Hé! Ma parole...

...Sophie a laissé tomber un bout de papier!

C'est sûrement une lettre d'amour!

Il faut l'attraper discrètement!

111-7

Qu'est-ce qu'ils fabriquent ces deux-là ! Ils préparent un mauvais coup !

Dites-donc ! Je vous y prends à attaquer les filles !

Et en plus vous jetez des bouts de papier ! Ramassez ça tout de suite !

111-8

Scénario J. Cohen

la soirée télé

63

Scénario J. Cohen

Les cent lignes

Tom-Tom et Nana: bande de sauvages!

Tom-Tom et Nana : bande de sauvages!

Scénario X. Seguin

Fais du sport, mon chéri !

Quel étrange calme, aujourd'hui à la Bonne Fourchette! Pas de chaise qui tombe, pas d'assiette qui se brise, pas de cris d'enfants...

Mais où est Tom-Tom?

Chchchutt!

Il lit!

Aaaah!

Il ferait mieux d'aller dehors! Il fait si beau!

Il lit encore!

Bizarre!

Il ferait mieux de faire du sport!

16-2

...Là, doucement...

En tout cas, je ne veux pas que Tom-Tom fasse du catch : c'est trop dangereux !

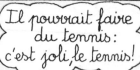

Il pourrait faire du tennis : c'est joli, le tennis !

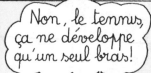

Non, le tennis, ça ne développe qu'un seul bras !

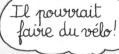

Il pourrait faire du vélo !

Ah non ! Ça fait gonfler les mollets !

16-8

82

Scénario J. Cohen

La classe de neige

Habille-toi, et que ça saute! Allez.... Viens!

J'veux pas faire de ski, j'en ai déjà fait hier!

Tu feras comme tout le monde!

Y a pas moyen d'être tranquille ici!

Je déteste ces affreuses godasses!

AAAïE! Elles m'ont encore mordu!

CLAC!

Et j'y vois rien avec ce bonnet!

Allez, courage! les joies du sport nous attendent!

91

92

Scénario J. Cohen et Rodolphe

Retrouve **Tom-Tom et Nana**

dans

J'AIME LIRE

**Le petit magazine
qui donne le goût de lire**

De 7 à 10 ans

Chaque mois, un vrai petit roman illustré
spécialement conçu pour les jeunes lecteurs,
des jeux amusants de logique et de mémoire
et les nouvelles aventures de Tom-Tom et Nana.

En vente chez tous les marchands de journaux

Et dans leur CD-Rom
« Bienvenue au club de Tom-Tom et Nana »

De 7 à 12 ans

CD-Rom MAC /PC

Trois missions pour devenir président du club
Tom-Tom et Nana, un atelier de création pour
réaliser son papier à lettres, ses cartons d'invitation...
Mais aussi des chansons et tous les trucs
pour créer son club...

  BAYARD PRESSE Ubi Soft

Bayard Editions / J'aime Lire
Les aventures de Tom-Tom Dubouchon sont publiées
chaque mois dans J'aime Lire
le journal pour aimer lire.
J'aime Lire, 3 rue Bayard - 75 008 - Paris.
Cette collection est une réalisation
de Bayard Editions.
Direction de collection : Anne-Marie de Besombes.